Bravo, Minski

ARTHUR YORINKS

illustré par
RICHARD EGIELSKI

Gallimard

Traduction : Jenny Ladoix

ISBN : 2-07-056476-2
Publié par Michael di Capua / Farrar, Straus and Giroux
© Arthur Yorinks, 1988, pour le texte
© Richard Egielski, 1988, pour les illustrations
© Editions Gallimard, 1989, pour l'édition française
Numéro d'édition : 46735
Dépôt légal : octobre 1989
Imprimé en Belgique

Pour Maurice Sendak

A. Y. / R. E.

Epatant. Extraordinaire. Stupéfiant. Un vrai génie. Ce fut probablement le plus grand savant de tous les temps. Il s'appelait Minski.

Mais, de toutes les théories et inventions que l'on doit à Minski,
de tous ses dons et talents, quel est celui qui reste encore à ce jour inégalé ?
Son chant, naturellement.

Déjà, lorsqu'il était tout enfant, à Venise, Minski manifesta un don exceptionnel pour la science. A l'âge de trois ans, il démontra la fameuse théorie selon laquelle *tout ce qui s'élève …*

…est destiné à retomber. Remarquable.

Minski avait à peine sept ans lorsqu'il découvrit l'électricité.

A la suite de quoi il inventa le grille-pain.

Léo, son père, frappé par les nombreux talents de son fils, décida de courir
la planète pour montrer au monde entier ce petit prodige.

A Londres, Minski introduisit l'usage du téléphone.
A Paris, il fit connaître l'aéroplane. Son talent était-il illimité ?

Oui. Minski grandissait et les inventions se succédaient.
L'ampoule électrique ? C'était Minski. L'automobile ? Encore Minski.

Les lunettes, l'aspirine, la machine à laver ? Minski, Minski, toujours Minski.
Qu'aurait été la vie sans Minski ?
Misérable.

Un soir, près de Vienne, Minski expérimenta la première fusée du monde.

Léonard de Vinci lui-même n'en revenait pas : «Franchement, je me demande si ce garçon n'est pas fou à lier. Quelle audace !»

Léo était très fier. Son incroyable fils fut honoré dans toutes les grandes capitales d'Europe. A Rome, Minski reçut la plus haute distinction :

Il premio per la Scienza !

Et cependant, fort de son immense célébrité, de son incomparable gloire, Minski était-il heureux ? Allait-il s'endormir sur ses lauriers ?

Non. Du jour où Minski entendit chanter le grand Farinelli, son cerveau
hors du commun fut en émoi : «Comment fait-il ? Comment une voix peut-elle
être aussi mélodieuse ? Qu'est-ce que la musique ? Qu'est-ce que le chant ?
Je trouverai la réponse à ces questions. Je le dois. Je le veux.»
Quel savant !

Le 27 janvier, à Salzbourg, Minski déclara : «Papa, j'ai trouvé !»
Et il montra une formule à son père. «Avec une seule gorgée de ce breuvage,
je chanterai comme…»
«Chanter ? *Chanter ?* s'étonna le père de Minski. Et qu'en est-il du robot
à sécher les cheveux auquel tu travaillais ? C'est lui qui fera ta fortune.»
Lui arrachant des mains la formule du chant, il la déchira en mille morceaux.
«Mais, Papa…»

«Chanter ! s'exclama le père de Minski. Est-ce que par hasard Léonard de Vinci
sait chanter ? Et Einstein ? Sottises que tout cela. Demain, nous rentrons
à Venise et tu vas me faire le plaisir de ne plus penser à chanter.»
«Pas question ! répondit Minski. La science ne peut se contenter des seules
machines. Papa, je reste ici.» Et Minski resta et essaya de retrouver
sa formule perdue.

Ce ne fut pas chose aisée. Minski entreprit fiévreusement ses expériences.
Tout d'abord, bien que son petit cri aigu fût des plus charmants,
il ne réussit à se transformer qu'en souris.
Il fut bientôt capable de se transformer en ce qu'il voulait :
en papillon de nuit…

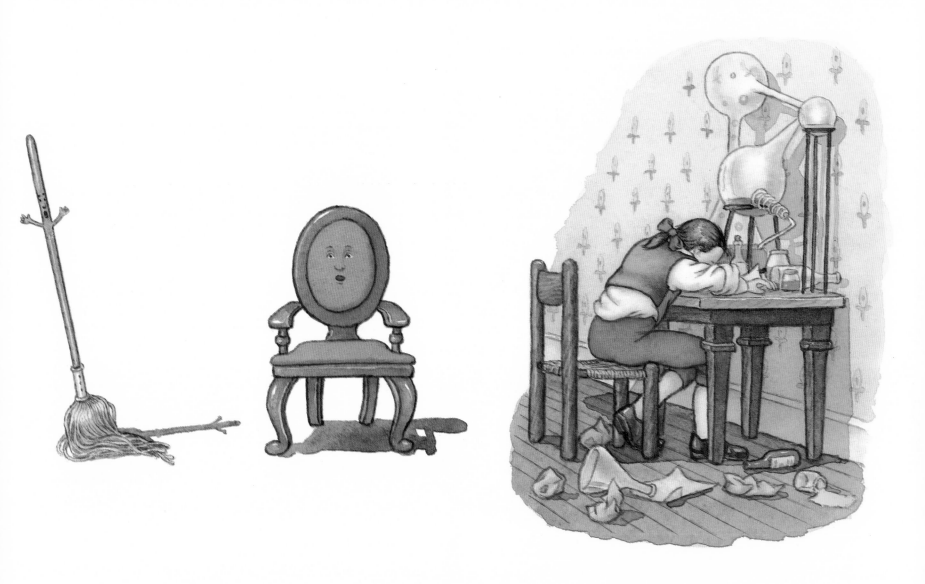

En balai à franges… en fauteuil… mais toujours pas en chanteur.
Il manquait certainement un ingrédient à sa formule. Lequel était-ce ?
Mais lequel était-ce ?
Les jours passaient et l'échec de son entreprise semblait indéniable.
Déprimé, épuisé, Minski tomba malade.

Il eut à peine la force de boire du thé. Du thé… Du thé ? Du thé !
«*Du thé !* Bon sang, mais c'est cela !» Minski s'empressa d'ajouter du thé
à sa formule et absorba son breuvage. Il ne se passa rien du tout.
Minski but tout le contenu du flacon. Il ne se passait toujours rien.

Dépité, Minski jeta le flacon par terre. «Je ne sais toujours pas chanter, s'écria-t-il. Mais… cette voix ! Quel timbre, quelle mélodie ! Mais je chante ! *je chante !* entonna Minski. Mamma mia, Caruso n'aurait pas mieux fait !»

Minski recouvra sa santé, fit ses bagages et partit à Milan.

Il y donna le premier de ses nombreux tours de chant.

La foule était enthousiaste.
On venait du monde entier pour applaudir la dernière prouesse de Minski.

Quelle musique ! Quelle voix ! Quelle découverte, cette formule !
Même les anges du ciel les plus doués étaient incapables de chanter
plus divinement.

Bravo, Minski !